Cenas para
PEQUES
LA FORMA MÁS FÁCIL, RÁPIDA Y SANA DE DAR DE COMER A LOS MÁS PEQUEÑOS DE LA CASA
3ª EDICIÓN
María Marín Alonso
LA YOUTUBER E INSTAGRAMER CON MILES DE SEGUIDORES DE SUS RECETAS INFANTILES

Primera edición: septiembre de 2019
Primera reimpresión: octubre de 2019
Segunda reimpresión: noviembre de 2019

Cocina, dietética y nutrición • Editorial Arcopress
Directora editorial: Isabel Blasco
Diseño y maquetación: Teresa Sánchez-Ocaña
Fotografías: Alex Marín

Imprime: Gráficas La Paz
ISBN:978-84-17057-98-5
Depósito Legal: CO-1184-2019
Hecho e impreso en España - *Made and printed in Spain*

A mi motor y fuente de inspiración cada día: mi marido Juan y mis cuatro pequeños «tragones», María, Alejandra, Nicolás y Bosco.

A mis padres, mi gran ejemplo a seguir.

ÍNDICE

CON BATATA O BONIATO

CON CALABACÍN

CREMAS

LEGUMBRES

PESCADO

Introducción

¡Hola! Soy María, creadora de *Cenas para peques* y estoy detrás de cada una de las recetas que publico cada día en las redes sociales. Mi único propósito es intentar ayudaros a hacer más fáciles y sanas las cenas de vuestros hijos.

Soy periodista, licenciada en Ciencias de la Información y madre de familia numerosa, con cuatro pequeños tragones que me ponen a prueba cada día a la hora de la cena. Ya os podéis imaginar de dónde procede mi relación con la cocina.

Desde mis inicios como madre comprendí la dificultad de buscar cada día un menú variado, sano, fácil y rápido de elaborar. En nuestras jornadas maratonianas, de carreras de aquí para allá, junto a unas tardes de deberes, duchas y demás quehaceres domésticos, me faltaba siempre tiempo. Con la dificultad añadida de que, cuando consultaba recetas en libros o internet, me encontraba sin tiempo para unas propuestas de recetas o muy elaboradas o con ingredientes imposibles.

Quizá fue ahí cuando se despertó mi imaginación y empecé a idear mis propias recetas. Mi principal premisa ha sido ahorrar tiempo en la cocina. Por eso, intentaba elaborar grandes cantidades de dos o tres ingredientes principales y con ellos lograba obtener varias recetas diferentes. Por otra parte, empecé a prestar atención al menú escolar y comprobé que mis hijos comían exceso de pasta, mucha carne y poca verdura. Vamos, que me tocaba a mí el papelón de lograr cenas atractivas cada día, con la verdura como ingrediente principal. Y digo «papelón» porque siempre hay un momento en el desarrollo de nuestros hijos en los que sale a la luz su predilección por los sabores dulces; o cuando empiezan con la «fase rebelde» y de rechazo a todo lo verde... Lograr entonces que coman verdura se convierte en toda una lucha.

Y a ese punto no estaba dispuesta a llegar. ¿Todo el día trabajando y el único momento de disfrutar en familia en torno a la mesa a pelear? Rotundamente, no. Así que tocaba echar mano de un poco de ingenio para salir de los típicos purés de verdura, del simple plato de judías verdes o de las acelgas rehogadas. ¡De este modo era yo la primera que me aburría de las verduras!

También es cierto que juego con cierta ventaja. Soy la pequeña de una familia numerosa de ocho hermanos y tengo en mi madre a una gran maestra en la cocina. Ella recuerda con añoranza las bandejas de croquetas que preparaba para diez o los litros de leche que se gastaban semanalmente en casa. Baste decir que de ella no solo he aprendido trucos en la cocina o recetas de toda la vida (que en el fondo son los mejores); también he aprendido eso de que «aquí no se tira nada» o convertir una receta de aprovechamiento en un gran manjar para toda la familia.

Otro antes y después en mi forma de cocinar fue cuando comencé a informarme sobre los verdaderos ingredientes de los alimentos procesados y aprendí a leer las etiquetas. No es cuestión de volverse loco y obsesivo con este asunto, pero sí de ser realmente conscientes de lo que compramos en el supermercado y hacerlo con todas las consecuencias. Es decir, debemos evitar comprar algo pensando que es saludable para nuestros hijos —y que la industria del marketing se ha encargado de decorar como «sano, bio y con extra de vitaminas»— cuando en realidad, esconde un peligroso exceso de azúcares o grasas saturadas. Por todo ello, y en la medida de mis posibilidades y de mi ajustado tiempo, comencé a hacer elaboraciones caseras, evitando procesados o ingredientes menos saludables.

Supongo que, en ese momento y sin saberlo, estaba naciendo @Cenasparapeques. Fue muchos años más tarde cuando una compañera de trabajo (@Unamadremolona) me hizo ver la originalidad de mis ideas y me animó a compartirlas en redes sociales.

Y así fue cómo en octubre de 2016 nació el perfil de @Cenasparapeques que, sin saber muy bien cómo, ha ido creciendo a una velocidad de vértigo hasta lograr en Instagram más de 60.000 seguidores. Os aseguro que todavía me sorprendo con vuestros mensajes diarios dando gracias por mis recetas, por todo lo que os ayudan y os facilitan vuestro día a día. Muchos me escribís para decirme que gracias a @cenasparapeques vuestros hijos han comenzado a comer verduras, me mandáis fotos de vuestros peques devorando el brócoli o me decís que incluso habéis creado una tabla de Excel con mis publicaciones para haceros vuestros menús semanales. Os aseguro que la agradecida soy yo, por todo el cariño que me trasladáis y por el reconocimiento diario a mi trabajo, compartiendo cada noche el resultado de versionar en vuestras casas cada una de mis recetas.

CENAS PARA PEQUES Y NO TAN PEQUES

Antes de nada, insistir que las recetas de este libro son para TODA LA FAMILIA, para peques y no tan peques. Es más, el objetivo es que todos los miembros de la familia podáis comer el mismo menú. Os aseguro que no es en absoluto necesario elaborar unas recetas para mayores y otras para los niños. Esta idea no solo os facilitará la vida, sino que además acostumbraréis a vuestros hijos a comer de todo.

Lógicamente, habrá que adaptar algunos ingredientes, reducir la sal y evitar elaboraciones excesivamente picantes. Pero, por lo demás, con recetas saludables es completamente factible comer todos los miembros de la familia. En casa, por ejemplo, mis cuatro hijos tienen edades muy dispares: la mayor tiene once años, mi segunda hija nueve y los dos peques varones seis años y diecinueve meses. Todos ellos comen lo mismo con la única excepción de aquellas recetas que, como es lógico, ha habido que adaptar a los bebés que se iniciaban a la alimentación complementaria. Mención aparte, claro está, los casos con intolerancias o alergias alimentarias.

VUESTROS HIJOS, LOS MEJORES PINCHES EN LA COCINA

No es cuestión de aprovechar su mano de obra porque, para qué mentirnos, a veces «desayudan» más que ayudan. Pero os aseguro que cocinar con ellos merece la pena y además ofrece múltiples ventajas. Desde que han sido bien pequeños, mis hijos se han subido a una banqueta dispuestos a pringarse las manos y cocinar en familia. Además de ser una ocasión perfecta para disfrutar juntos, aprender a manipular los alimentos, diferenciar sus texturas y sabores... Os garantizo que luego comen mucho mejor un plato que ellos mismos han cocinado. Así que, ya sabéis ¡Todos juntos, manos a la masa y a disfrutar de la cocina!

¿EXPERTOS COCINEROS? ¡PARA NADA!

Ante todo, no leáis este libro pensando que encontraréis recetas procedentes de un chef profesional. Ni tienes que ser experto en la cocina para poder elaborarlas. Todo lo contrario, yo soy igual que vosotros. Padres y madres preocupados por la alimentación de nuestros hijos que buscamos opciones saludables para cada día, intentando salir airosos en esta ardua tarea y que lo hacemos lo mejor que sabemos. Por eso quiero ayudaros con este libro. En él encontraréis consejos básicos para organizaros en la cocina, con una relación de ingredientes imprescindibles en la despensa y, sobre todo, un completo recetario con 50 propuestas que os ayudarán a lograr el objetivo de alimentar a vuestros hijos con recetas sencillas pero saludables.

Es más fácil de lo que parece y, sobre todo, no olvidéis que lo rico no está reñido con lo sano. Os aseguro que hay vida más allá de la tortilla francesa y las salchichas y que hay múltiples opciones en la cocina para ofrecer verduras a nuestros peques sin necesidad de recurrir una y otra vez a las mismas recetas y, al mismo tiempo, sin complicarnos con recetas e ingredientes imposibles.

Por último, no os exijáis tanto. La cocina es muy agradecida y con buena materia prima y siguiendo unas sencillas pautas se pueden lograr sorprendentes elaboraciones. ¡Si yo puedo, vosotros también podéis!

Decálogo

DE CONSEJOS PARA LOGRAR QUE NUESTROS PEQUES COMAN VARIADO Y SANO SIN MORIR EN EL INTENTO

1 PREDICAR CON EL EJEMPLO

Si algo hacen siempre nuestros hijos es observarnos y esa es, sin duda, la mejor lección que podemos darles. No sirven charlas educativas sobre la importancia de comer bien, si en casa no nos ven a nosotros llevar una dieta sana y equilibrada.

Si papá no prueba la fruta o verdura, ¿por qué lo iba a hacer yo? Los padres somos el mayor referente de nuestros hijos, no lo olvidemos.

2 SIEMPRE AL ALCANCE DE LA MANO

Si llega la hora de merendar o desayunar y las galletas y los ultraprocesados acaparan el mayor espacio de la mesa, ¿qué es lo que elegirán nuestros hijos?

Que nunca falte en el centro de la mesa un buen frutero variado; a la hora del desayuno sorprende con una bandeja de fresas o incluye tomate natural triturado para las tostadas. Empieza a cambiar los hábitos en casa y te sorprenderás del resultado.

3 NORMALIZAR

Comer verduras no puede ser algo extraordinario. Han de formar parte de nuestro día a día y debemos normalizar su presencia en cada uno de nuestros platos. Solo de esta manera, los peques lo verán como algo habitual e incluso aprenderán que las verduras pueden ser realmente deliciosas.

4 APROVECHA SU PALADAR «VIRGEN»

Cuando nacemos tenemos una preferencia innata hacia los sabores dulces y rechazamos los amargos. ¿Qué quieres esto decir? Que si les damos a elegir, siempre preferirán una onza de chocolate a un trozo de alcachofa, pero hay que aprovechar la «virginidad» de su paladar y lograr que una judía verde, una zanahoria o la coliflor se conviertan en el manjar de los manjares.

5 NUNCA ES TARDE SI LA DICHA ES BUENA

Si en casa tienes niños de seis, ocho o incluso mayores de doce años, que no han adquirido buenos hábitos desde más pequeños y han declarado la guerra a lo verde, NO TIRES LA TOALLA. Nunca es tarde para iniciar buenos hábitos, te costará un poco más, pero con constancia y un poco de imaginación podrás lograrlo.

6 IMAGINACIÓN AL PODER

Siempre pongo el mismo ejemplo: un plato de acelgas recién hervidas, tal cual, quizá no sean lo más sugerente y ni siquiera nosotros lo elegiríamos como primera opción de menú. Pero si esas acelgas las juntamos con un poco de patata, queso rallado, rebozamos en pan rallado y doramos en la sartén resultará un poco más atractivo para todos ¿verdad?

7 PACIENCIA, PACIENCIA Y PACIENCIA

Cuando un niño rechaza un alimento, a veces, no es porque no le guste sino simplemente porque es nuevo para él. Por eso, a veces hay que insistir hasta en quince ocasiones diferentes, variando la presentación, para que nuestro hijo se vaya acostumbrando al nuevo sabor y se anime a probarlo.

8 NI PRESIONES NI CASTIGOS

Que el momento de la comida o la cena no se convierta en un motivo de conflicto. Cuantas más presiones, más resistencia ofrecerá tu peque. A todos no nos gustan los mismos alimentos, si tu hijo come bien la naranja y la pera, ya tendrás tiempo de lograr que tome kiwi, y lo mismo ocurrirá con las verduras. Que no falte la variedad entre tus recetas saludables y seguro que, poco a poco, irán comiendo de todo.

9 CON LOS NIÑOS, NUNCA DES NADA POR SUPUESTO

A veces, somos nosotros, los mayores, los que no ofrecemos ciertos alimentos a nuestros hijos dando por hecho que no les van a gustar. Déjate sorprender por ellos y, te aseguro que, cuando menos te lo esperes, le verás disfrutando con un trozo de espárrago verde, unos champiñones o comiendo un aguacate a cucharadas.

10 TU MEJOR LEGADO

Creo firmemente que unos buenos hábitos alimenticios es uno de los mejores legados que les podemos dejar a nuestros hijos. Los acompañarán desde pequeños y los llevarán adquiridos de por vida. Por ello, aunque a veces parezca que vas a contracorriente y tu entorno (abuelos, colegio, amigos) te hagan sentir un «extraterrestre» entre el publicitario mundo de los ultraprocesados, no te rindas, merece la pena y, en un futuro, tus hijos te lo agradecerán.

La despensa

Para lograr un buen resultado en la cocina, es imprescindible una buena materia prima y, además, tenerla al alcance de la mano. No hay nada que dé más rabia que querer cocinar una receta y que nos falten los ingredientes en casa.

Por ello, aquí os dejo una lista de mis imprescindibles en la despensa o la nevera para organizarnos en la cocina o incluso para poder improvisar en una de esas tardes críticas que vamos mal de tiempo y tenemos que recurrir a tres o cuatro ingredientes básicos.

EN UNA BUENA DESPENSA/NEVERA NO PUEDEN FALTAR:

FRUTAS (si son de temporada mejor)

- Plátanos
- Manzanas
- Peras
- Uvas
- Aguacates
- Limones
- Frutas del bosque (congeladas es una buena opción)
- Ciruelas...

LEGUMBRES (secas o ya cocidas en conserva)

- Lentejas
- Lentejas rojas
- Garbanzos
- Alubias
- Guisantes
- Soja texturizada

HORTALIZAS Y VERDURAS (preferiblemente de temporada, no descartéis la verdura congelada que guarda muy bien sus propiedades y nos permiten tenerlas siempre a mano)

- Cebolla
- Ajo
- Calabacines
- Calabaza
- Puerros
- Zanahorias
- Cebolleta
- Pimientos rojos y verdes
- Batata o boniato
- Brócoli
- Coliflor
- Judías verdes
- Verdura de hoja verde...

CEREALES (sin son integrales mucho mejor)

- Arroz
- Copos de avena
- Copos de maíz (importante que sean sin azúcares añadidos)
- Quinoa
- Cuscús
- Harinas variadas (de trigo, de centeno, de avena)

FRUTOS SECOS (siempre crudos o tostados y, por supuesto, sin sal)

- Nueces
- Cacahuetes
- Anacardos
- Almendras
- Pipas de girasol
- Avellanas
- Coco rallado
- Pistachos
- Dátiles (ojo a la etiqueta, que su único ingrediente sea eso, dátiles)

CONSERVAS

- Tomate triturado
- Tomate frito sin azucares añadidos
- Tomates enteros pelados
- Leche de coco para cocinar
- Atún (mejor al natural)
- Maíz

SALSAS Y CONDIMENTOS VARIOS

- Aceite de oliva virgen extra
- Vinagre (de manzana o vino blanco)
- Salsa de soja (importante, que sea baja en sal)
- Tahini
- Mostaza antigua

HIERBAS AROMÁTICAS Y ESPECIAS (tengo un armario entero, esenciales para dar sabor y evitar exceso de sal)

- Albahaca
- Cebollino
- Menta
- Perejil
- Tomillo
- Ajo en polvo
- Laurel
- *Curry*
- Cúrcuma
- Pimentón de La Vera
- Jengibre
- Nuez moscada
- Pimienta negra
- Eneldo
- Comino...

PROTEÍNAS

- Pescado (siempre lo congelo previamente para evitar anisakis)
- Carne (pavo, pollo, ternera, cerdo...)
- Huevos*

  *Podremos utilizar semillas de lino (para repostería) y harina de garbanzo (para guisos y rebozados) como alternativa al huevo en la siguiente proporción:
  1 cucharada sopera de semillas de lino (luego habrá que molerlas x 3 de agua)
  1 cucharada sopera de harina de garbanzo x 2 de agua

LÁCTEOS (mejor desnatados y sin azúcares añadidos)

- Leche
- Leches vegetales
- Queso batido
- Yogures naturales
- Queso fresco
- Quesos variados (parmesano, mozzarella, emmental...)
- Leche evaporada

Elaboración de las recetas

Si hablamos de introducir verduras a nuestros peques, nos toca comenzar con la «desafortunada» coliflor, que se lleva el premio a las más rechazadas. Vamos juntos a acabar con un falso mito y lograr que en casa nuestros peques coman coliflor y disfruten haciéndolo. ¿Cómo? Sirvan estas recetas como ejemplo:

TORTITAS DE COLIFLOR Y ZANAHORIA

Ingredientes:

- 1/2 coliflor (unos 500/ 600 g aproximadamente)
- 3 zanahorias
- 3 huevos pequeños o 2 grandes
- 80 g de queso mozzarella rallado
- Sal, pimienta molida y perejil al gusto

Elaboración:

1. Lavamos y troceamos la coliflor desechando el tronco principal.
2. Trituramos la coliflor hasta lograr una textura parecida al arroz (podemos utilizar una picadora, una batidora de vaso o incluso podemos rallarla, aunque será más laborioso).
3. Pelamos y después trituramos o rallamos las zanahorias.
4. Mezclamos la coliflor con las zanahorias (ambas en crudo) y añadimos los huevos batidos, removiendo bien.
5. Aderezamos la mezcla con el resto de ingredientes: el queso, la sal, la pimienta molida y el perejil.
6. Mezclamos e integramos bien.
7. Sobre un papel de horno vamos colocando nuestras tortitas con el grosor deseado (podemos coger masa con una cuchara o accesorio para hacer bolas de helados, colocar la masa sobre el papel y aplastar un poco para dar la forma de las tortitas).
8. Con el horno precalentado a 200 °C, horneamos hasta dorar.

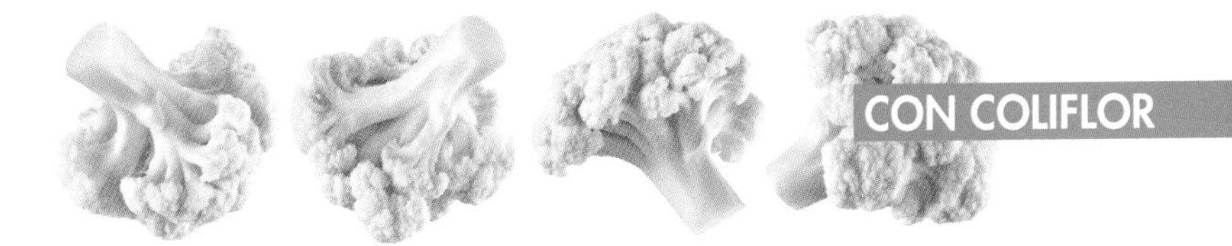

BOLITAS DE COLIFLOR, PATATA Y QUESO

Ingredientes:

- 300 g de coliflor
- 300 g de patatas cocidas (al vapor, en el microondas...)
- 2 cucharadas grandes de copos de avena
- Taquitos de queso (gouda, mozzarella...)
- 2 huevos
- 1 cucharada pequeña de cúrcuma
- Sal y pimienta al gusto
- Pan rallado

Elaboración:

1. Lavamos y troceamos la coliflor, desechando el tronco principal.
2. Trituramos la coliflor hasta lograr una textura parecida al arroz (podemos utilizar una picadora, una batidora de vaso o incluso podemos rallarla, pero será más laborioso).
3. Cocemos las patatas (en agua hasta que estén tiernas o al vapor).
4. Una vez cocidas, las añadimos a la coliflor cruda y chafamos con un tenedor hasta lograr una masa uniforme.
5. Añadimos los huevos batidos y salpimentamos al gusto.
6. Incorporamos la cúrcuma.
7. Mezclamos bien y añadimos los copos de avena, hasta lograr una masa uniforme y con cierta resistencia (si fuera necesario añadir un poco más de avena).
8. Reservamos una hora en la nevera.
9. Cortamos el queso en tacos.
10. Formamos las bolitas introduciendo un taco en cada una de ellas.
11. Finalmente, rebozamos las bolitas en pan rallado.
12. Con el horno precalentado a 180 °C y sobre un papel de hornear, asamos las bolitas hasta dorar.

Sustituimos el tradicional arroz por una «camuflada» coliflor que, triturada a modo de granos de cereal, parece que hasta cambia su sabor y su olor. Se la comerán como si de un verdadero arroz tres delicias se tratara. ¡Receta perfecta para peques y no tan peques!

COLIFLOR TRES DELICIAS

Ingredientes:

- 1 coliflor mediana
- 200 g de zanahoria
- 300 g de guisantes
- 100 g de tacos de jamón cocido
- 150 g de maíz cocido
- Aceite de oliva virgen extra
- Sal y pimienta al gusto
- 1 cucharada pequeña de cúrcuma

Elaboración:

1. Lavamos y troceamos la coliflor, desechando el tronco principal.
2. Trituramos la coliflor hasta lograr una textura parecida al arroz (podemos utilizar una picadora, una batidora de vaso o incluso podemos rallarla, aunque será más laborioso).
3. Añadimos un poco de aceite de oliva a una sartén y salteamos la coliflor ya triturada.
4. Pelamos la zanahoria y laminamos (también podemos utilizar zanahoria *baby* congelada).
5. Y añadimos a la sartén el resto de verduras en crudo.
6. Salpimentamos al gusto y añadimos la cúrcuma.
7. Cuando estén tiernas las verduras añadimos los ingredientes cocidos: maíz, jamón y los guisantes si ya estuvieran cocidos.
8. Dejamos cocinar unos 3 o 4 minutos a fuego medio.

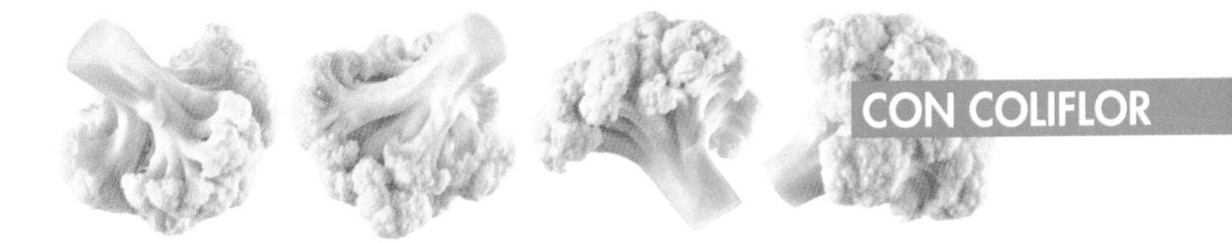

Quien dijo que las croquetas no podían ser saludables es porque no conoce esta receta. Toma nota y disfruta.

CROQUETAS DE BECHAMEL DE COLIFLOR Y PESCADO

Ingredientes:

- 200 g de pescado, previamente cocinado (al horno a la plancha, al vapor)
- 40 g de queso parmesano
- Pan rallado
- 1 huevo (se puede omitir en caso de intolerancia)
- Bechamel de coliflor *véase página 125*

Elaboración:

1. Desmenuzamos el pescado cocido y quitamos espinas.
2. Mezclamos con el queso parmesano.
3. Añadimos a la bechamel.
4. Extendemos la mezcla en un recipiente plano.
5. Dejamos enfriar en la nevera 4-5 horas.
6. Tras este tiempo, damos forma a las croquetas.
7. Rebozamos en huevo y pan rallado.
8. Colocamos sobre papel de hornear.
9. Pulverizamos las croquetas con un poco de aceite.
10. Horneamos a 200 °C unos 40 minutos o hasta dorar.

CON COLIFLOR

¿Por qué no cambiar costumbres y aprovechar la hora del *snack* para introducir también verduras a nuestros hijos? Estos *chips* de coliflor pueden convertirse en un aperitivo fácil y saludable para que nuestros peques coman entre horas.

CHIPS DE COLIFLOR

Ingredientes:

- 1 coliflor, preferiblemente pequeña
- 1 cucharada pequeña de cúrcuma
- 1 cucharada pequeña de hierbas provenzales
- 1 cucharada pequeña de ajo en polvo
- 2 cucharadas soperas de aceite de oliva virgen extra para hacer la mezcla
- 1 cucharada sopera de aceite de oliva virgen extra para pintar el papel de horno
- 50 g de queso mozzarella rallado (opcional)

Elaboración:

1. Precalentamos el horno a 200 °C (con opción ventilador)
2. Lavamos la coliflor y secamos bien.
3. Cortamos en láminas la coliflor. Cuanto más finas, más crujientes quedarán.
4. En un cuenco, realizamos la mezcla del aceite con las especias (reservamos el queso).
5. Colocamos papel de horno sobre la bandeja y, con ayuda de un pincel, lo pintamos con aceite de oliva.
6. Extendemos sobre la bandeja la coliflor, intentando colocarlas en una sola capa.
7. Con ayuda de un pincel, pintamos la coliflor, una a una, con la mezcla preparada.
8. Por último, añadimos el queso mozzarella rallado.
9. Horneamos durante 8 minutos y les damos la vuelta. A continuación, dejamos hornear otros 8 minutos más.

*Podéis acompañar los chips con hummus, guacamole o salsa de yogur y menta.

*Cuando cortemos la coliflor, se desprenderán pequeños trozos de coliflor que no podremos laminar. Guárdalos en una bolsa de congelación y tendrás coliflor lavada y troceada para otra receta.

*La receta original es con el brócoli en crudo. A quien le resulte más fuerte el sabor puede cocinarlo unos 3-4 minutos al vapor o en el microondas, una vez rallado.

Ha llegado el momento de convertir el brócoli en el mejor amigo de vuestros hijos. Con las siguientes recetas, estos ramilletes verdes serán tus grandes aliados en la cocina para que los peques coman verdura y disfruten haciéndolo.

TORTITAS DE BRÓCOLI

Ingredientes:

- 1 ramillete de brócoli (unos 350-400 g)
- 3 huevos
- 3 cucharadas soperas de queso parmesano rallado
- 1 cucharada pequeña de cúrcuma
- Sal y pimienta al gusto
- Aceite de oliva virgen extra

Elaboración:

1. Quitando la parte más gruesa del tronco, rallamos o trituramos el brócoli.
2. Incorporamos los huevos batidos y el queso.
3. Salpimentamos y añadimos la cúrcuma.
4. Mezclamos bien.
5. Añadimos un poco de aceite de oliva en una sartén.
6. Vamos dando forma a las tortitas (preferiblemente con la ayuda de un aro) y las cocinamos por ambas caras, a modo de crepes.

ALBÓNDIGAS DE BRÓCOLI

Ingredientes:

- 250 g de brócoli
- 100 g de zanahoria
- 100 g de queso emmental
- 40 g de almendra molida
- 2 cucharadas soperas de copos de avena
- 1 huevo
- Sal y ajo en polvo al gusto
- Pan rallado

Elaboración:

1. Pelamos las zanahorias y hervimos hasta que estén tiernas.
2. Hervimos el brócoli 5-6 minutos (por separado de las zanahorias que tardan más).
3. Una vez listas las verduras las chafamos con un tenedor.
4. Añadimos el queso, la almendra y el huevo batido.
5. Removemos bien y aderezamos con la sal y el ajo en polvo.
6. Por último, añadimos la avena (inicialmente 2 cucharadas, pero podemos añadir alguna más, si la masa no tuviera consistencia para hacer las albóndigas).
7. Elaboramos las albóndigas.
8. Rebozamos con pan rallado.
9. Colocamos sobre papel de hornear.
10. Pulverizamos con aceite de oliva.
11. Horneamos a 200 °C hasta dorar (unos 20-25 minutos).

*Para decorar la pizza: salsa de tomate (sin azucares añadidos preferiblemente) e ingredientes al gusto: pavo, tomates cherry, aceitunas, albahaca, queso fresco, cebolla, queso, champiñones...

¿Quién no disfruta con el plan de viernes de *pizza* y película en familia? ¿Y quién dijo que una *pizza* no podía ser también una ocasión perfecta para introducir las verduras a nuestros peques? No solo es posible, sino que además es la receta perfecta para cocinar juntos, elegir los *topping* para decorar la *pizza* e involucrar a los peques en el maravilloso mundo de la cocina.

PIZZA CON BASE DE COLIFLOR

Ingredientes:

- 1 coliflor mediana
- 1 huevo (si la coliflor fuera muy grande añadir 2 huevos)
- 150 g de queso mozzarella rallado
- Especias al gusto (orégano, hierbas provenzales...)
- Pimienta negra y sal al gusto

PIZZA CON BASE DE BRÓCOLI

Ingredientes:

- 1 ramillete de brócoli
- 2 huevos
- Sal, pimienta y orégano al gusto
- 50 g de queso mozzarella
- 50 g de queso parmesano

Elaboración:

1. Lavamos y troceamos la coliflor/brócoli, desechando el tronco principal.
2. Trituramos hasta lograr una textura parecida al arroz (podemos utilizar una picadora, una batidora de vaso o incluso podemos rallarla, pero será más laborioso).
3. Con un recipiente apto para microondas, tapamos o cubrimos con papel film transparente y cocinamos 8 minutos.
4. Una vez cocinada la coliflor/brócoli, eliminaremos la humedad, colocándolo sobre un paño limpio y apretando para extraer todo el líquido posible.
5. Añadimos el huevo, el queso y las especias y removemos bien.
6. Colocamos la mezcla sobre papel de horno y extendemos hasta lograr una masa sin mucho grosor.
7. Horneamos en el horno precalentado a 200°C hasta dorar (unos 15 minutos).
8. Sacamos del horno y añadimos los ingredientes elegidos para decorar.
9. Horneamos de nuevo unos 10-15 minutos más.

*Los peques no se resisten a este plato que normalmente encontramos en las cadenas de comida rápida en su versión frita. Aquí os ofrezco una versión más saludable que podremos hacer en casa de forma sencilla y rápida.

¡¡¡Ay ese color verde intenso de las espinacas que solo con verlo los niños ya dicen que no!!! No sé si será esa fobia a «lo verde» que de repente les entra a nuestros hijos o esa textura pastosa que tienen las espinacas hervidas, pero el caso es que no es una verdura fácil de introducir entre los peques. De nuevo, es hora de reinventarse para lograr elaboraciones más atractivas para los niños.

PALOMITAS DE POLLO CON ESPINACAS

Ingredientes:

Para preparar las espinacas:

- 50 g de queso emmental rallado
- 150 g de espinacas frescas
- 2 cucharadas pequeñas de cebolla en polvo
- Sal al gusto
- 1 cucharada de aceite de oliva virgen extra

Para el pollo:

- 600 g de pechugas de pollo
- 1 cucharada sopera de ajo en polvo
- 1/2 cucharada sopera de perejil fresco o seco
- Copos de maíz, preferiblemente sin azúcar añadido

Elaboración:

1. Lavamos las espinacas.
2. Añadimos la cebolla en polvo, el queso rallado, sal al gusto y la cucharada sopera de aceite de oliva.
3. Removemos y cocinamos en el microondas o al vapor durante 6 minutos.
4. Mientras se hacen las espinacas, trituramos las pechugas.
5. Condimentamos el pollo con el ajo y el perejil.
6. Extendemos un poco de pollo en la mano y rellenamos con una cucharada pequeña de espinacas. Envolvemos y formamos las palomitas.
7. Una vez listas las bolitas, las rebozamos con los copos de maíz machacados.
8. Con el horno precalentado a 180 ºC, colocamos las palomitas en una bandeja cubierta con papel de hornear y horneamos durante unos 20 minutos.
9. Acompañar mojando en una rica salsa de yogur.

CREPES DE ESPINACAS

Ingredientes:

- 50 g de espinacas frescas
- 150 g de copos de avena
- 2 huevos
- 250 ml de leche (puede ser vegetal)
- Sal y ajo en polvo al gusto
- Una pizca de nuez moscada rallada
- Aceite de oliva virgen extra

Elaboración:

1. Trituramos la avena.
2. En el mismo recipiente añadimos el huevo y la leche.
3. Aderezamos con la sal, el ajo y la nuez moscada.
4. Lavamos las espinacas y las incorporamos a la mezcla.
5. Trituramos bien todos los ingredientes.
6. Reposamos 30 minutos en la nevera.
7. En una sartén, agregamos un poco de aceite de oliva.
8. Cuando esté caliente, añadimos un cucharón de la mezcla.
9. Expandimos por la sartén según el grosor deseado.
10. Dejamos dorar una cara durante unos 2 minutos a temperatura media.
11. Damos la vuelta y dejamos cocinar por la otra cara.

***Podremos rellenar los crepes según gustos: salmón y queso crema, tomate y queso feta, atún y mozarella, pechuga de pavo y lechuga...**

BOLITAS DE QUINOA Y ESPINACAS

Ingredientes:

- 70 g de brotes de espinacas frescas
- 5 cucharadas soperas de quinoa cocida
- 4 cucharadas soperas de copos de avena integral
- 1 huevo
- 2 cucharadas de pan rallado ((añadir un poco más si fuera necesario para dar forma a las bolitas)
- Sal al gusto
- 2 cucharadas pequeñas de ajo en polvo
- 1 diente de ajo para guisar la quinoa

Elaboración:

1. Lavamos la quinoa antes de cocinar (la mejor manera es hacerlo con un colador de malla fina).
2. Doramos un ajo laminado con un poco de aceite de oliva.
3. Añadimos una parte de quinoa por 3 de agua.
4. Incorporamos una hoja de laurel y sal al gusto.
5. Dejamos cocinar hasta que se consuma el agua.
6. Mientras tanto, lavamos las espinacas y picamos finamente.
7. Mezclamos las espinacas con la quinoa.
8. Añadimos la sal, el ajo y el pan rallado.
9. Mezclamos bien y añadimos la avena (pudiendo añadir un poco más hasta ver que las bolitas tienen la consistencia deseada).
10. Damos forma a las bolitas.
11. Colocamos sobre papel de hornear.
12. Horneamos a 200 °C hasta dorar (aproximadamente 20 minutos).

HAMBURGUESAS DE POLLO, ESPINACAS Y ZANAHORIA

Ingredientes:

- 1/2 kg de carne de pollo
- 2 zanahorias
- 150 g de espinacas frescas
- 10 g de perejil fresco
- 1 cucharada pequeña de jengibre en polvo
- 1 cucharada pequeña de ajo en polvo
- 1 huevo
- 4 cucharadas soperas de copos de avena
- Sal y pimienta molida al gusto
- Pan rallado para rebozar

Elaboración:

1. Lavamos las espinacas.
2. Troceamos muy pequeñas (manualmente o con una picadora).
3. Pelamos las zanahorias (en crudo) y trituramos también (o rallamos).
4. Trituramos la carne en una picadora o procesador de alimentos.
5. Mezclamos la carne con la zanahoria y las espinacas.
6. Picamos bien fino el perejil y añadimos a la carne.
7. Incorporamos el huevo batido.
8. Aliñamos la mezcla con el jengibre, el ajo, la sal y la pimienta.
9. Finalmente añadimos la avena (añadir alguna cucharada más si hiciera falta).
10. Mezclamos todos los ingredientes y dejamos reposar en la nevera 30 minutos.
11. Damos forma a las hamburguesas. Primero creamos una bola y luego aplastamos.
12. De forma opcional podemos rebozarlas en pan rallado.
13. Pintamos una plancha o sartén con un poco de aceite de oliva virgen extra.
14. Cocinamos las hamburguesas por ambos lados.

Si eres de los que todavía no has incorporado en tus recetas las batatas, estás tardando. Y no solo por su sabor dulce, sino porque es uno de los vegetales más saludables, tiene numerosas propiedades y aportará una gran fuente de energía para nuestros peques.

ALBÓNDIGAS DE BATATA Y CUSCÚS

Ingredientes:

- 2 batatas
- 1 vaso de sémola de trigo
- Aceite de oliva virgen extra
- Sal al gusto
- 75 g de queso emmental rallado

Elaboración:

1. Lavamos las batatas y partimos por la mitad.
2. Colocamos boca abajo sobre papel de hornear.
3. Horneamos a 180 °C durante 40 minutos.
4. Una vez enfriadas, vaciamos la carne con una cuchara.
5. Calentamos un vaso de agua en un cazo.
6. Antes de que arranque a hervir echamos la sémola.
7. Apagamos el fuego, removemos levemente y dejamos reposar unos minutos.
8. Añadimos un chorro de aceite de oliva y separamos los granos con ayuda de una cuchara.
9. En un recipiente, mezclamos un vaso de batata con un vaso se sémola.
10. Salamos al gusto.
11. Añadimos el queso emmental y mezclamos hasta lograr una masa uniforme.
12. Damos forma a las albóndigas y rebozamos en pan rallado.
13. Colocamos sobre papel de hornear.
14. Pulverizamos con un poco de aceite de oliva.
15. Horneamos a 180-200 °C hasta dorar.

CHIPS DE BATATA AL HORNO

Ingredientes:

- 2 o 3 boniatos o batatas
- 2 cucharadas soperas de aceite de oliva virgen extra
- Especias al gusto (una cucharada pequeña de cada una aprox.) orégano - ajo en polvo - cebolla en polvo - tomillo - perejil - hierbas provenzales - sal...
- Queso rallado al gusto (emmental, parmesano, mozarella)

Elaboración:

1. Precalentamos el horno a 200 °C.
2. Pelamos las batatas.
3. Partimos en forma de bastones.
4. En un cuenco grande mezclamos el aceite con las especias y el queso.
5. Incorporamos los bastones de batata a la mezcla.
6. Y los impregnamos bien.
7. Colocamos las batatas sobre papel de hornear extendiéndolo bien.
8. Horneamos durante 30-40 minutos.

*Batatas rellenas *véase página 102*
*Albóndigas de batata y pescado *véase página 94*

*Importante, como en todas las *pancakes*, es fundamental que la primera cara esté bien hecha, si no se nos romperá al dar la vuelta. Podremos voltearlas cuando, con ayuda de una espátula, veamos que se despega bien de la sartén.

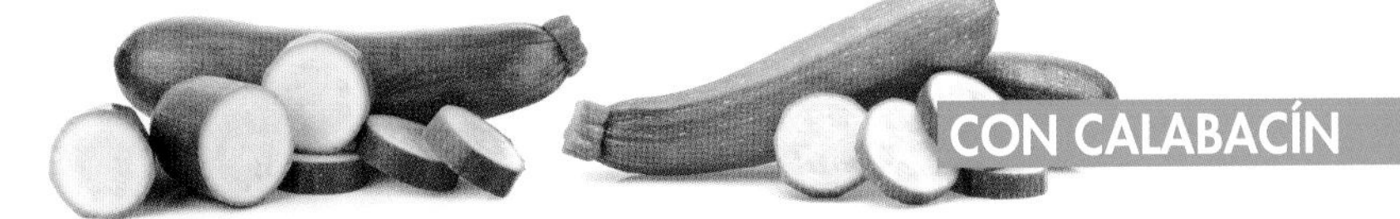

Hasta no hace mucho, el calabacín era mi comodín de oro para las cremas de verduras y no me sacabas de ahí para ofrecer esta hortaliza a mis hijos. Pero si yo me cansaba de cocinar siempre lo mismo, más se cansaban ellos de repetir siempre las mismas recetas. Así que innovemos con el calabacín señores, que hay múltiples opciones para cocinarlos y estas son solo unas ideas.

PANCAKES DE CALABACÍN

Ingredientes:

- 2 calabacines medianos
- 1 cebolla
- 2 cucharadas soperas de harina de avena (podéis elegir la que más os guste en función de alergias o intolerancias)
- 2 huevos
- 1 cucharada pequeña de levadura química
- Sal y pimienta al gusto
- 250 ml de leche

Elaboración:

1. Lavamos bien los calabacines y los rallamos con la piel.
2. Añadimos sal sobre ellos y dejamos escurrir el agua en un colador.
3. Picamos la cebolla muy finamente.
4. Con 2 cucharadas de aceite de oliva, dejamos pochar en una sartén el calabacín y la cebolla.
5. Mientras tanto, preparamos la masa con la leche, la levadura, la harina y los huevos.
6. Añadimos los calabacines y la cebolla a la masa.
7. Dejamos reposar 30 minutos en la nevera.
8. En una sartén, untamos un poco de aceite de oliva y vamos haciendo las tortitas de una en una (en cada tanda tendremos que untar aceite de nuevo).
9. Doramos a fuego bajo unos 5 minutos por cada cara.

ESPIRALES DE CALABACÍN

Ingredientes:

- 3 calabacines medianos
- 2 dientes de ajo
- 2 cucharadas pequeñas de sal
- 1 cucharada sopera de aceite de oliva virgen extra
- Resto de ingredientes para acompañar al gusto: taquitos de jamón, tomates cherry, dados de pollo, pasas, cebolla pochada, salsa pesto (*véase página 122*), salmón ahumado y nueces...

Elaboración:

1. Lavamos bien los calabacines.
2. Manualmente o con ayuda de un espiralizador (preferiblemente) preparamos los espirales de calabacín.
3. Los colocamos en un escurridor y añadimos la sal.
4. Removemos bien y dejamos escurrir durante al menos 20 minutos.
5. Mientras tanto, pelamos y laminamos los ajos.
6. En una sartén o cacerola, añadimos el aceite de oliva y doramos los ajos.
7. Una vez eliminada el agua de los calabacines, los añadimos a la sartén.
8. Y los salteamos durante un par de minutos (será el tiempo necesario para que queden crujientes).
9. Acompañar con *toppings* al gusto, ya sea una salsa, pollo a la plancha, salón ahumado o más verduras.

*Si no nos gusta el sabor de la leche de coco, podemos sustituirla por la misma cantidad pero de leche evaporada.

He de reconocer que, en mi infancia, las cremas y yo tuvimos grandes desencuentros, me tiraba horas y horas delante de ese planto hondo humeante dando vueltas a la cuchara y solo los picatostes me hacían más llevadero ese mal trago.
Una vez convertida en madre decidí cambiar la historia de la relación «crema de verduras y niños», convencida de que una crema es mucho más que una mezcla de verduras cocidas y trituradas. Las cremas de verduras pueden llegar a ser tan variadas, cremosas y suculentas que se convertirán en las preferidas de nuestros hijos.

CREMA DE GUISANTES Y LECHE DE COCO

Ingredientes:

- 1 kg de guisantes congelados
- 2 cebollas grandes
- 1 vaso de leche de coco para cocinar (250 ml)
- 2 vasos de agua
- Aceite de oliva virgen extra
- Sal al gusto

Elaboración:

1. Pelamos las cebollas y troceamos (no es necesario picar muy fino).
2. Añadimos 2 cucharas soperas de aceite de oliva en una cazuela y doramos las cebollas.
3. Una vez lista la cebolla, añadimos los guisantes, la leche de coco y el agua.
4. Salamos al gusto.
5. Cocinamos a fuego medio durante unos 15 minutos.
6. Reservamos un vaso del líquido sobrante.
7. Trituramos los guisantes, añadiendo un poco más de líquido si fuera necesario.

CREMA DE CALABAZA Y BONIATO

Ingredientes:

- 1 kg de calabaza
- 2 boniatos
- 2 puerros
- Sal al gusto
- 1 cucharada pequeña de jengibre en polvo (opcional)
- 400 ml de agua
- 400 ml de leche de coco para cocinar (o leche evaporada)
- Aceite de oliva virgen extra

Elaboración:

1. Lavamos y cortamos los puerros, utilizando solo la parte blanca.
2. Con 2 cucharadas soperas de aceite de oliva, pochamos los puerros en una cazuela.
3. Añadimos después el resto de ingredientes (boniatos, calabaza, agua y leche de coco).
4. Salamos al gusto y añadimos el jengibre.
5. Guisamos durante 10-12 minutos.
6. Reservamos un vaso del líquido sobrante.
7. Dejamos enfriar y trituramos la crema, añadiendo un poco más de líquido si fuera necesario.

CREMA DE PUERROS Y ALMENDRAS

Ingredientes:

- 5 puerros
- 1 cebolla grande
- 125 g de almendras crudas molidas
- 250 ml de leche (opcional, leche vegetal)
- 1 litro de caldo de verduras
- Sal y pimienta molida al gusto
- Aceite de oliva virgen extra

Elaboración:

1. Lavamos y cortamos los puerros, utilizando solo la parte blanca.
2. Pelamos y troceamos la cebolla.
3. Añadimos 2 cucharadas soperas de aceite de oliva en una cazuela y pochamos los puerros y la cebolla.
4. 4. Una vez pochados, añadimos el caldo de verduras y la almendra molida.
5. Salpimentamos al gusto.
6. Dejamos cocinar 20 minutos a fuego medio.
7. Añadimos finalmente la leche y dejamos cocinar un par de minutos más.
8. Dejamos enfriar y trituramos.

CREMA DE LOMBARDA

Ingredientes:

- 1/2 lombarda (900 g aproximadamente)
- 1 cebolla morada
- 2 puerros
- 1 manzana Golden
- 1 litro de agua
- 1 vaso de leche evaporada (250 ml)
- Aceite de oliva virgen extra
- Sal al gusto
- 1 cucharada pequeña de jengibre

Elaboración:

1. Lavamos y cortamos los puerros, utilizando solo la parte blanca.
2. Pelamos y troceamos la cebolla.
3. Añadimos aceite de oliva en una cazuela y pochamos los puerros y la cebolla.
4. Salamos al gusto y añadimos el jengibre.
5. Mientras tanto, quitamos la parte superior de la lombarda, troceamos y lavamos.
6. Pelamos la manzana y troceamos.
7. Añadimos al guiso la lombarda, la manzana y el agua.
8. Cocinamos a fuego medio durante 30 minutos aproximadamente, hasta que la lombarda esté tierna.
9. Finalmente, añadimos la leche evaporada.
10. Trituramos (reservamos un poco de líquido y añadimos después, si fuera necesario, para lograr una textura cremosa).

*Añadiendo las espinacas frescas, no solo damos a nuestra crema un color verde intenso espectacular, sino que aprovechamos al 100% sus propiedades nutricionales.

CREMA DE CALABACÍN Y ESPINACAS

Ingredientes:

- 5 calabacines
- 1 patata
- 200 g de espinacas frescas
- 1 cebolla
- 1 diente de ajo
- Sal y pimienta molida al gusto
- 1/2 litro de agua

Elaboración:

1. Lavamos los calabacines y troceamos dejando parte de la piel.
2. Pelamos y partimos la patata.
3. Pelamos y partimos la cebolla y el diente de ajo.
4. En una cazuela, añadimos 2 cucharadas de aceite de oliva virgen extra.
5. Doramos la cebolla y el ajo.
6. Después, incorporamos el resto de ingredientes, junto con la sal y la pimienta.
7. Añadimos el agua y dejamos cocer a fuego medio durante 20 minutos.
8. Antes de triturar, agregamos las espinacas frescas.
9. Trituramos y rectificamos de sal.

CREMA DE TOMATE

Ingredientes:

- 2 latas de tomate entero pelado (800 g cada lata)
- 2 puerros
- 1 cebolleta
- 1 vaso de leche de coco para cocinar (250 ml)
- 1 cucharada pequeña de comino
- 1 cucharada pequeña de jengibre fresco rallado (en su defecto jengibre en polvo)
- Sal y ajo en polvo al gusto
- 1 cucharada pequeña de bicarbonato
- 2 puñados de lentejas rojas

Elaboración:

1. Lavamos y cortamos los puerros, utilizando solo la parte blanca.
2. Pelamos y troceamos la cebolleta.
3. En una cazuela, añadimos 2 cucharadas de aceite de oliva virgen extra.
4. Salamos al gusto y pochamos el puerro y la cebolleta durante 10 minutos.
5. Añadimos los tomates junto con el jugo.
6. Incluimos el resto de ingredientes: la leche de coco, el comino, el jengibre, el bicarbonato, el ajo en polvo y las lentejas rojas.
7. Removemos y cocinamos a fuego medio durante 20-25 minutos.
8. Dejamos enfriar y trituramos.

Hay recetas especialmente pensadas para la época de más calor y esta sopa fría es un claro ejemplo de ello. Servida bien fría o con *toppings* como las uvas o incluso el melón, es una delicia para pequeños y mayores.

GAZPACHO BLANCO O AJO BLANCO

Ingredientes:

- 200 g de almendras crudas en polvo
- 75 g de pan integral
- 100 g de copos de avena
- 1 o 2 ajos pelados (yo para los niños pongo un solo ajo y le quito la parte central)
- 100 ml de aceite de oliva virgen extra
- 1 litro de agua
- 50 ml de vinagre de jerez
- Sal al gusto

Elaboración:

1. Si no tuviéramos almendras en polvo, podemos dejarlas en remojo la noche anterior y así se triturarán mejor (importante, que sean crudas y sin piel).

2. Mezclamos todos los ingredientes.

3. Trituramos bien con ayuda de una batidora de vaso, procesador de alimentos o similar.

4. Rectificamos de vinagre y sal si fuera preciso.

5. Servimos bien fría.

Hay muchas formas de ofrecer legumbres a los peques de la casa y algunas son incluso opciones tan sanas y ligeras que podremos incluirlas en las cenas.

BURGUER DE GARBANZOS

Ingredientes:

- 800 g de garbanzos cocidos (pueden ser secos, cocinados en casa tras una noche en remojo o cocidos envasados)
- 1 cebolla grande
- 200 g de champiñones
- 200 g de zanahorias (unas 3 zanahorias)
- Zumo de un limón
- Sal y ajo en polvo al gusto
- Perejil al gusto (si es fresco mejor)
- Una cucharada sopera de semillas de sésamo tostadas
- 4 o 5 cucharadas soperas de harina de garbanzo (podéis utilizar otro tipo de harina). Añadir más cantidad si fuera necesario para dar consistencia a la hamburguesa
- Pan rallado para rebozar las hamburguesas
- Aceite de oliva virgen extra

Elaboración:

1. Pelamos y picamos muy finamente la cebolla.
2. Con una cucharada de aceite de oliva, la pochamos en la sartén.
3. Mientras tanto, lavamos los champiñones y cortamos en dados pequeños.
4. Hacemos igual con las zanahorias, previamente peladas.
5. Incorporamos los champiñones y las zanahorias a la sartén.
6. Añadimos el perejil, el ajo en polvo, la sal y el zumo de limón.
7. Dejamos cocinar durante 10 minutos.
8. En una picadora vamos triturando los garbanzos cocidos (añadir un poco de caldo de la cocción o zumo de limón si fuera necesario para triturar).

9. Incorporamos el guiso de la sartén.
10. Volcamos la masa resultante en un recipiente y añadimos la harina.
11. Mezclamos hasta lograr una masa uniforme y moldeable (incluir un poco más de harina si fuera necesario).
12. Damos forma a las hamburguesas.
13. Rebozamos en pan rallado.
14. Con una cucharada sopera de aceite de oliva, doramos en la

*Las especias se pueden variar en cantidades y tipos según gustos. Otras opciones son: pimentón dulce, ajo en polvo, orégano…

sartén por ambas caras.

Un *snack* diferente y nutritivo, ideal para picotear o para añadir como *topping* a una crema de verduras o incluso en ensaladas y completar así una cena.

GARBANZOS ESPECIADOS

Ingredientes:

- 400 g de garbanzos cocidos (pueden ser secos, cocinados en casa tras una noche en remojo, o cocidos envasados)
- 1 cucharada grande de comino molido
- 1 cucharada grande de *curry*
- 1 cucharada grande de cúrcuma
- 1 cucharada grande de aceite de oliva virgen extra

Elaboración:

1. Ponemos en remojo los garbanzos la noche anterior y cocemos hasta que estén tiernos. Si son envasados y cocidos, lavar y escurrir y secar bien.
2. Precalentamos el horno a 200º.
3. Colocamos los garbanzos en un recipiente con profundidad.
4. Añadimos el resto de especias y removemos bien para que todos los garbanzos queden bien impregnados.
5. Colocamos los garbanzos sobre una bandeja de horno forrada con papel de hornear.
6. Esparcimos bien, en una sola capa.
7. Horneamos durante 40 minutos aproximadamente, removiendo a mitad de tiempo.

FALAFEL AL HORNO

Ingredientes:

- 400 g de garbanzos cocidos (pueden ser secos, cocinados en casa tras una noche en remojo o cocidos envasados)
- 1 cebolla morada (reducir a 1/2 cebolla si nos gusta un sabor más suave)
- 2 zanahorias cocidas
- 1 cucharada grande de aceite de oliva virgen extra
- Perejil al gusto (si es fresco, mejor)
- 1 cucharada pequeña de comino molido
- Copos de avena (inicialmente 2 cucharadas soperas pero añadiremos más hasta lograr la consistencia deseada)

Elaboración:

1. Ponemos en remojo los garbanzos la noche anterior y cocemos hasta que estén tiernos. Si son envasados y cocidos, lavar y escurrir.
2. Cocemos también las zanahorias hasta que estén tiernas.
3. En una trituradora, picadora o procesador de alimentos añadimos los garbanzos cocidos y la zanahoria también cocida.
4. Pelamos y cortamos la cebolla y añadimos al resto de ingredientes.
5. Aderezamos con el perejil, el aceite y el comino.
6. Completamos con los copos de avena y trituramos (añadiremos más copos de avena si fuera necesario).
7. Damos forma a la masa, tipo albóndiga o pequeñas hamburguesas, y colocamos sobre papel de hornear.
8. Con el horno precalentado a 180 °C, horneamos durante 25-30 minutos, dando la vuelta a mitad de tiempo.

*Podemos humedecernos las manos con agua para dar forma a la masa y que no se pegue.

HAMBURGUESA DE LENTEJAS

Ingredientes:

- 1 bote de lentejas cocidas envasadas o 600 g de lentejas cocinadas en casa (dejar previamente una noche en remojo)
- 1 cebolleta
- 2 o 3 zanahorias
- 2 huevos
- Sal y ajo en polvo al gusto
- 1 cucharada pequeña de salsa de soja baja en sal (opcional)
- 2 cucharadas soperas de pan rallado para ligar las hamburguesas (se puede sustituir por harina o avena molida)
- Aceite de oliva virgen extra

Elaboración:

1. Ponemos en remojo las lentejas la noche anterior y cocemos hasta que estén tiernas. Si son envasadas y cocidas, lavar y escurrir.
2. Pelamos y partimos la cebolleta.
3. Hacemos igual con las zanahorias.
4. En una picadora o procesador de alimentos, añadimos la zanahoria y la cebolleta en crudo y trituramos bien.
5. En un recipiente mezclamos las lentejas con las zanahorias y la cebolleta.
6. Incorporamos los huevos batidos y mezclamos bien.
7. Añadimos la sal, el ajo y la salsa de soja
8. Mezclamos bien y ligamos los ingredientes con el pan rallado.
9. Damos forma a las hamburguesas.
10. Con un poco de aceite de oliva en una sartén, doramos las hamburguesas por ambas caras.

HAMBURGUESA DE SOJA TEXTURIZADA

Ingredientes:

- 250 g de soja texturizada
- 1 puerro
- 1/2 pimiento rojo
- 1/2 pimiento verde
- 400 ml de tomate triturado
- Sal y pimienta molida al gusto
- 1 cucharada pequeña de ajo en polvo
- 2 cucharadas pequeñas de cúrcuma
- 1 cucharada pequeña de orégano
- 4 cucharadas soperas de harina (como sugerencia: harina de espelta integral)
- 1 huevo
- Aceite de oliva virgen extra

Elaboración:

1. Hidratamos la soja en agua caliente durante 20 minutos.
2. Transcurrido este tiempo, escurrimos bien.
3. Pelamos, lavamos y partimos la parte blanca del puerro (como luego lo vamos a triturar, no hace falta picar muy pequeño).
4. Limpiamos y partimos los pimientos.
5. Con dos cucharadas soperas de aceite de oliva, pochamos el puerro y los pimientos.
6. Salpimentamos, añadimos el ajo en polvo y el tomate triturado y dejamos cocinar de nuevo hasta reducir la salsa.
7. Trituramos la salsa y reservamos.
8. En un recipiente volcamos la soja ya escurrida.
9. Añadimos el huevo, el orégano y la cúrcuma, junto con la salsa triturada.
10. Removemos y añadimos poco a poco la harina hasta lograr la textura necesaria para dar forma a las hamburguesas.
11. Pintamos la plancha o sartén con aceite de oliva.
12. Con ayuda de un molde damos forma a las hamburguesas y cocinamos por ambas caras.

HAMBURGUESA DE MERLUZA

Ingredientes:

- 250 g de pescado
- 2 patatas
- 3 zanahorias
- 1 huevo
- 1 cucharada pequeña de jengibre
- 1 cucharada pequeña de ajo en polvo
- Sal y perejil al gusto
- 3 cucharadas soperas de copos de avena
- 2 cucharadas soperas de pan rallado

Elaboración:

1. Cocinamos el pescado (hervido, al vapor, en el horno...).
2. Una vez listo, quitamos la humedad con papel de cocina.
3. Desmenuzamos y quitamos posibles espinas.
4. Pelamos las patatas y las zanahorias y cocemos hasta que estén tiernas.
5. Añadimos las patatas y las zanahorias al pescado y mezclamos bien.
6. Sazonamos con una cucharada de ajo en polvo, el jengibre, la sal y el perejil.
7. Incorporamos el huevo batido.
8. Completamos con la avena y el pan rallado.
9. Mezclamos hasta lograr una masa uniforme y damos forma a las hamburguesas.
10. Calentamos un poco de aceite de oliva en la sartén.
11. Y doramos las hamburguesas por ambas caras.

NUGGETS DE SALMÓN SALUDABLES

Ingredientes:

- 2 lomos de salmón (no suelen tener espinas, pero hay que mirar bien antes para retirar las que pudiera haber)
- 200 g de pan integral
- 30 g queso parmesano
- 2 cucharadas de aceite de oliva virgen extra
- Un huevo (opcional)

Elaboración:

1. Mezclamos el pan, con el queso y el aceite y trituramos con ayuda de una batidora potente, picadora o procesador de alimentos.
2. Quitamos posibles espinas al salmón y troceamos en partes iguales.
3. Pasamos el salmón por el huevo batido (en caso de utilizar el huevo).
4. A continuación, rebozamos los nuggets por la mezcla de pan, huevo, queso y aceite.
5. Con el horno precalentado a 200 °C, horneamos 15 minutos aproximadamente.

SALMÓN MARINADO AL ENELDO

Ingredientes:

- 1 lomo de salmón previamente congelado
- 1 kg de sal gruesa
- 1 kg de azúcar
- Eneldo fresco al gusto o 1/2 bote de eneldo seco molido

Elaboración:

1. En un recipiente grande mezclamos la sal, el azúcar y el eneldo.
2. Quitamos las espinas al salmón.
3. Sobre una fuente, creamos una cama con la mezcla y colocamos encima el salmón con la piel hacia abajo.
4. Cubrimos el salmón con el resto de la mezcla.
5. Cubrimos el salmón con papel film transparente y colocamos peso encima (dos *bricks* de leche por ejemplo).
6. Reservamos en la nevera 24-48 horas (depende de si lo queremos más o menos marinado).
7. Transcurrido el tiempo, limpiamos con agua el lomo de salmón.
8. Secamos y cortamos al gusto.

RECETAS DE APROVECHAMIENTO CON PESCADO

Nada como las recetas de aprovechamiento para dar rienda a nuestra imaginación y lograr con restos de la nevera otra receta deliciosa. En este caso, cuando cocines pescado para comer o cenar, añade siempre una pieza más y con los restos podrás elaborar estas ricas elaboraciones, perfectas además para introducir pescado a los más peques.

EMPANADILLAS DE PESCADO AL HORNO

Ingredientes:

- 200 g de pescado previamente cocinado (al horno, al vapor o hervido)
- 2 huevos (en caso de intolerancias o alergias puede omitirse)
- 2 cucharadas pequeñas de mostaza antigua
- 150 g de tomate natural triturado (poner según las cantidades de pescado, lo suficiente para que el relleno quede jugoso pero no mucho para que no quede excesivamente líquido)
- Obleas de empanadillas
- Si necesitáramos algo más de pescado, podemos añadir una lata de atún al natural

Elaboración:

1. Una vez cocinado el pescado, lo limpiamos de espinas y desmenuzamos.
2. Añadimos el tomate y la mostaza.
3. Si vamos a utilizar huevos, los cocemos (10 minutos desde que el agua empiece a hervir).
4. Pelamos y picamos el huevo y añadimos a la mezcla anterior.
5. Colocamos las obleas sobre papel de hornear.
6. Rellenamos la mitad de la oblea y cerramos con la otra mitad.
7. Sellamos los bordes con la ayuda de un tenedor.
8. Pintamos las obleas con un huevo batido (en caso de intolerancia o alergia también los podemos pintar con aceite de oliva o incluso agua).
9. Horneamos a 200 ºC hasta dorar.

*Os recomiendo rellenar las empanadillas con la suficiente cantidad de relleno, porque si no, al cocinarse la masa, el resultado podría quedar hueco y poco jugoso.

PUDIN O PASTEL DE PESCADO

Ingredientes:

- 250 g de pescado blanco previamente cocinado (al horno, al vapor o hervido)
- 1 vaso de leche evaporada o un vaso de leche de coco para cocinar (250 ml)
- 250 g de langostinos cocidos
- 2 cucharadas de salsa de tomate frito
- 4 huevos
- Sal y pimienta al gusto

Elaboración:

1. En un recipiente partimos y batimos los huevos.
2. Añadimos la leche evaporada (o leche de coco) y el tomate.
3. Incorporamos el pescado, previamente limpio y desmenuzado.
4. Pelamos y troceamos los langostinos y añadimos a la receta.
5. Salpimentamos al gusto.
6. Trituramos bien (podemos triturar más o menos según nos guste dejar trozos más grandes en el pudin).
7. Colocamos la mezcla en un molde apto para horno.
8. Cocinamos al baño maría a 180 °C durante una hora aproximadamente (comprobaremos pinchando con un tenedor, hasta que salga limpio).

ALBÓNDIGAS DE BATATA Y PESCADO CON SALSA DE ALMENDRAS

Ingredientes:

Para las albóndigas:

- 450 g de pescado
- 2 batatas (800 g aprox.)
- 1 cucharada pequeña de ajo en polvo
- 1 cucharada pequeña de perejil
- Sal al gusto
- 5 cucharadas soperas de pan rallado (2 para la masa y 3 para rebozar las albóndigas)
- Aceite de oliva virgen extra para pulverizar las albóndigas

Para la salsa de almendras:

- 1 cebolla
- 1 ajo
- Aceite de oliva virgen extra
- 125 g de almendras crudas laminadas
- 500 ml de caldo de pescado
- Sal al gusto

Elaboración:

1. Aprovechamos restos de pescado ya cocinado o cocinamos el pescado al gusto (hervido, al vapor, en el horno...).
2. Una vez cocinado, limpiamos de espinas, desmenuzamos y reservamos.
3. Lavamos las batatas y partimos por la mitad.
4. Colocamos boca abajo sobre papel de hornear.
5. Horneamos a 180 °C durante 40 minutos.
6. Una vez enfriadas, vaciamos la carne con una cuchara.
7. En un recipiente profundo mezclamos el pescado con la batata.
8. Aliñamos con el ajo, el perejil y la sal.
9. Añadimos el pan rallado para ligar la masa.
10. Damos forma a las albóndigas.
11. Y rebozamos con pan rallado.
12. En modo grill, las metemos en el horno hasta dorar.

Para elaborar la salsa:

1. Picamos el ajo y la cebolla.
2. Con 2 cucharadas de aceite de oliva, pochamos el ajo y la cebolla.
3. Una vez listos, añadimos el caldo de pescado, las almendras y la sal.
4. Cocinamos durante 6-7 minutos a fuego medio.
5. Dejamos enfriar y trituramos.
6. Servimos las albóndigas con la salsa.

*Podremos utilizar todo tipo de pescado (pescadilla, merluza, salmón, lenguado...).

HUEVOS RELLENOS

Ingredientes:

- 6/8 huevos (siempre en función del número de comensales)
- 200 g de pescado previamente cocinado (al horno, al vapor o hervido)
- 1 cucharada grande de salsa de tomate frito
- 1 cucharada pequeña de mostaza antigua
- Posibilidad de decorar con mahonesa o salsa rosa

Elaboración:

1. Cocemos los huevos (10 minutos desde que el agua empiece a hervir).
2. Dejamos enfriar y los pelamos.
3. Los partimos por la mitad, vaciando la yema con ayuda de una cuchara.
4. Mezclamos las yemas (reservamos 2 o 3 para decorar), junto con el tomate, la mostaza y el pescado limpio y desmenuzado.
5. Rellenamos los huevos con la mezcla.
6. Rallamos las yemas reservadas y decoramos.

Podríamos decir que esta es una receta 3x1, ya que con una elaboración completa, como es este guiso de carne con salsa boloñesa, podremos elaborar tres recetas diferentes para amortizar el tiempo en la cocina.

GUISO DE CARNE

Ingredientes:

- 1 kg y 1/2 de carne de ternera picada (preferiblemente comprar en carnicería y pedir que os realicen doble picado de la carne)
- 1 pimiento rojo
- 1 pimiento verde
- 800 g de tomate natural triturado
- 2 cebollas
- 1 cucharada grande de ajo en polvo
- 1 cucharada grande de perejil
- 1 cucharada grande de jengibre en polvo
- Sal y pimienta al gusto
- Aceite de oliva virgen extra

Elaboración:

1. Pelamos y picamos muy finamente la cebolla.
2. Troceamos en pequeños dados los pimientos.
3. Añadimos en una sartén 3 cucharadas de aceite de oliva virgen extra.
4. Pochamos la cebolla junto con los pimientos, durante al menos 10 minutos.
5. Mientras tanto, aliñamos la carne con la sal, la pimienta, el ajo, el perejil y el jengibre.
6. Una vez listas las verduras, añadimos la carne y doramos durante unos minutos.
7. Finalmente, añadimos el tomate, removemos bien y dejamos guisar a fuego suave durante 20 minutos, hasta cocinar por completo la carne.

CALABACINES LUNA RELLENOS

Ingredientes:

- Parte del guiso de carne
- 4 calabacines luna
- Queso emmental rallado (se puede usar también parmesano o cualquier otro queso que funda bien)

Elaboración:

1. Lavamos bien la piel de los calabacines y cortamos la parte superior (a modo de sombrerito).
2. Colocamos en un recipiente apto para microondas y rociamos con una pizca de aceite de oliva por encima.
3. Cubrimos con film transparente y cocinamos 10 minutos a máxima potencia en el microondas.
4. Una vez enfriados, vaciamos la carne del calabacín con ayuda de una cuchara y desechamos el líquido sobrante.
5. Mezclamos con el guiso de la carne y trituramos todo conjuntamente.
6. Rellenamos de nuevo los calabacines con la mezcla.
7. Espolvoreamos cada uno de ellos con el queso rallado.
8. Gratinamos en el horno durante 5 minutos.

BATATAS RELLENAS

Ingredientes:

- Parte del guiso de carne
- 2 batatas o boniatos
- Queso emmental rallado al gusto (se puede usar también parmesano o cualquier otro queso que funda bien)

Elaboración:

1. Lavamos bien la piel de las batatas y partimos por la mitad en sentido horizontal.
2. Colocamos boca abajo sobre papel de hornear.
3. Horneamos 40-50 minutos a 180 °C.
4. Vaciamos la carne con ayuda de una cuchara.
5. Mezclamos el relleno de las batatas con la carne guisada.
6. Volvemos a rellenar las batatas con la mezcla.
7. Cubrimos con queso rallado.
8. Gratinamos durante 5 minutos.

Esta es una de las grandes recetas de aprovechamiento que puedes hacer con este guiso de carne o incluso con restos de pollo o ternera de otro día. Junto con un sofrito de cebolla y salsa de tomate, tendremos la base para nuestro pastel.

PASTEL DE CARNE

Ingredientes:

- Parte del guiso de carne
- 4-5 patatas grandes (unos 600 g)
- 100 ml de leche
- Aceite de oliva virgen extra
- Sal al gusto
- 4 cucharadas soperas de salsa de tomate
- 70 g de queso parmesano rallado o el que más nos guste para gratinar

Elaboración:

Para el puré de patata:

1. En un cazo, cubrimos las patatas con agua y cocemos hasta que estén tiernas (comprobamos pinchando con un cuchillo).
2. Una vez enfriadas, pelamos y machacamos con un tenedor.
3. Añadimos la leche y un chorro de aceite de oliva.
4. Salpimentamos, mezclamos bien y reservamos.

Para el pastel:

1. En un recipiente rectangular, echamos el tomate frito y extendemos bien.
2. Cubrimos con una primera capa de puré de patata, usando la mitad del puré.
3. Por encima, colocamos una segunda capa con el guiso de carne.
4. Finalmente, añadimos una última capa de puré de patata.
5. Coronamos con el queso rallado.
6. Horneamos a 180 ºC durante 10 minutos.
7. Terminamos gratinando otros 5 minutos.

NUGGETS DE POLLO SALUDABLES

Ingredientes:

- 1 o 2 pechugas de pollo (según número de comensales)
- Cereales o copos de maíz (preferiblemente sin azúcares añadidos)
- Copos de avena
- 1 huevo (se puede sustituir por leche)
- 1 cucharada grande de perejil
- 1 cucharada grande de ajo en polvo

Elaboración:

1. Troceamos el pollo. Podemos hacerlo en tiras o en dados de 2x2.
2. Batimos el huevo.
3. Machacamos o trituramos los cereales (sin llegar a una textura de polvo).
4. Añadimos a los copos el perejil y el ajo en polvo.
5. Rebozamos el pollo inicialmente con los copos de avena.
6. En segundo lugar, rebozamos en el huevo batido.
7. Finalmente, rebozamos en los copos de maíz.
8. Colocamos sobre papel de hornear.
9. Con el horno precalentado a 180 ºC, horneamos durante 15-20 minutos, dando la vuelta a mitad de tiempo.

PECHUGAS DE PAVO EN SALSA DE VINAGRETA

Ingredientes:

- 2 o 3 pechugas de pavo (válido también para pollo)
- 2 cebollas grandes
- 100 o 75 ml de vinagre de vino blanco (menos cantidad si nos gusta más suave)
- 100 ml de aceite de oliva virgen extra
- 1/2 vaso de agua
- Sal y pimienta al gusto
- 3 hojas de laurel

Elaboración:

1. Pelamos y troceamos las cebollas.
2. Con una cucharada grande de aceite de oliva, pochamos la cebolla en una cazuela.
3. Salpimentamos las pechugas.
4. Una vez lista la cebolla, sellamos las pechugas juntos con las cebollas.
5. A continuación, añadimos el vinagre, el aceite y el agua.
6. Incorporamos las hojas de laurel.
7. Guisamos a fuego medio durante unos 6-8 minutos o hasta que el pavo este tierno.
8. Reservamos la carne y trituramos la salsa resultante.
9. Fileteamos y acompañamos con la salsa.

SOLOMILLOS DE PAVO EN SALSA DE PIÑA

Ingredientes:

- 1 o 2 solomillos de pavo
- 1 lata grande de piña en su jugo (peso de la lata unos 850 g)
- Aceite de oliva virgen extra
- Sal y pimienta al gusto

Elaboración:

1. Salpimentamos el pavo.
2. Con una cucharada grande de aceite de oliva, sellamos los solomillos y dejamos dorar.
3. Troceamos la piña y la añadimos junto con el pavo.
4. Incorporamos también el jugo de la piña.
5. Guisamos a fuego medio durante 10 minutos.
6. Reservamos el pavo.
7. Trituramos la salsa junto con la piña.
8. Fileteamos el pavo y servimos junto con la salsa.

POLLO CON ALMENDRAS

Ingredientes:

- 4 pechugas de pollo
- 200 gramos de almendras peladas crudas (en caso de los más pequeños -menores de 6 años- no incluir las almendras enteras sino trituradas)
- 3 zanahorias
- 1 calabacín
- 2 cebollas
- 1 vaso de caldo de pollo (250 ml)
- 100 ml de salsa de soja baja en sal
- 1 cucharada pequeña de jengibre en polvo
- 1 cucharada pequeña de azúcar moreno integral de caña
- 1 cucharada sopera de harina (puedes usar la que prefieras, es solo para espesar la salsa)
- Aceite de oliva virgen extra
- Sal al gusto

Elaboración:

1. Cortamos el pollo en dados y lo dejamos macerar con la salsa de soja, el azúcar y el jengibre durante una hora.
2. En una sartén, con un poco de aceite de oliva, doramos las almendras y reservamos.
3. Cortamos la cebolla y la zanahoria en tiras y el calabacín en dados y pochamos en la misma sartén (ya sin las almendras).
4. Una vez macerado el pollo, lo salteamos en la sartén con la salsa durante 5 minutos.
5. A continuación, añadimos al guiso las verduras y las almendras, junto con el caldo de pollo.
6. Disolvemos la harina en un poco de agua y la añadimos también.
7. Guisamos a fuego medio durante 10 minutos.

El kétchup, la salsa barbacoa o el alioli ocupan habitualmente un espacio reservado en nuestras neveras y, sin darnos cuenta, acostumbramos a nuestros peques a esos sabores generalmente plagados de azúcares y poco saludables para ellos.
Hay muchos tipos de salsas caseras y algunas muy nutritivas que, de forma muy sencilla, podemos elaborar para acompañar nuestros platos, dar vida a unas hamburguesas o incluso para meriendas y picar entre horas.

■ GUACAMOLE

Ingredientes:

- 1 aguacate y 1/2 maduros
- 1 tomate
- 1 zanahoria
- 4 pepinillos en vinagre
- 1/2 cebolleta o 1/2 cebolla (según gustos)
- 3 cucharadas soperas de aceite de oliva virgen extra
- El zumo de un limón (1/2 limón si lo prefieres más suave)
- Sal al gusto

Elaboración:

1. Sacamos la carne de los aguacates.
2. Quitamos la piel al tomate y pelamos la zanahoria.
3. Pelamos la cebolla o cebolleta.

Dos opciones:
1. Podemos unir todos los ingredientes, triturar con una batidora junto al zumo de limón, el aceite y la sal.
2. O bien, chafar con ayuda de un tenedor los aguacates, picar muy finamente el tomate, la zanahoria y la cebolleta y mezclar (pero sin triturar) el resto de ingredientes.

SALSA DE YOGUR Y MOSTAZA

Ingredientes:

- Yogur natural sin azúcar
- El zumo de 1/2 limón
- 1 cucharada pequeña de mostaza antigua

Para endulzar: miel al gusto o pasta de dátiles

Elaboración:

1. Mezclamos todos los ingredientes en un bol.
2. Removemos manualmente y rectificamos de dulzor según gustos.

SALSA DE PEPINO

Ingredientes:

- 2 pepinos
- 2 yogures griegos naturales
- 12 hojas de menta fresca
- 1 diente de ajo
- El zumo de un limón
- 1 chorro de aceite de oliva virgen extra
- Sal y pimienta al gusto

Elaboración:

1. Lavamos bien los pepinos.

2. Partimos por la mitad y, con ayuda de una cuchara, quitamos las semillas centrales.

3. Rallamos los pepinos, desechando la piel.

4. Una vez rallados los pepinos, los escurrimos con un colador para eliminar el exceso de agua y reservamos.

5. Mientras tanto, pelamos el diente de ajo y eliminamos la parte central.

6. A continuación, rallamos el ajo.

7. En una batidora o procesador de alimentos, añadimos todos los ingredientes: el pepino, el ajo, el limón exprimido, los yogures y la menta fresca.

8. Aderezamos con sal y pimienta al gusto y un poco de aceite de oliva virgen extra.

9. Y trituramos unos segundos.

*La salsa tahina podéis hacerla en casa. Tan sencillo como usar 2 cucharadas soperas de semillas de sésamo tostadas (si no están tostadas habrá que dorarlas previamente en la sartén) y junto a 4 cucharadas soperas de agua o aceite de oliva, triturar bien hasta que quede una pasta. Finalmente, añadiremos sal al gusto.

HUMMUS

Ingredientes:

- 300 g de garbanzos cocidos (pueden ser cocidos envasados, pero no olvidéis lavarlos previamente)
- 1 vaso de caldo de verdura o caldo de garbanzos si son cocidos en casa
- 2 cucharadas grandes de tahina o tahín (pasta de sésamo)
- 1 cucharada grande de aceite de oliva
- 1 vaso de agua (cantidad de agua aproximada, hasta conseguir la textura cremosa del hummus)
- El zumo de un limón
- 1 diente de ajo
- 1 cucharada pequeña de sal
- 1 cucharada pequeña de comino
- 1 cucharada pequeña de pimentón dulce (opcional otro poco para decorar)

Elaboración:

1. Ponemos en remojo los garbanzos la noche anterior y cocemos hasta que estén tiernos. Si son envasados y cocidos, lavar y escurrir.
2. Volcamos los garbanzos en batidora o procesador de alimentos, junto con el vaso de caldo.
3. Exprimimos el limón y añadimos a los garbanzos.
4. Incorporamos también el aceite de oliva, el diente de ajo, la sal, el comino, el pimentón y la tahina.
5. Trituramos bien todos los ingredientes.
6. Servimos con un chorro de aceite de oliva y un poco de pimentón.
7. Comemos con *crudités* de zanahoria o pepino.

PESTO DE ALMENDRAS Y ALBAHACA

Ingredientes:

- 1 diente de ajo
- 30 g de albahaca fresca
- 40 g de queso parmesano
- 30 g de almendras crudas (posibilidad de utilizarlas molidas)
- Sal al gusto
- 100 ml de aceite de oliva virgen extra

Elaboración:

1. Lavamos la albahaca.
2. Preparamos para triturar junto con las almendras molidas, el ajo, el queso parmesano, el aceite de oliva y la sal.
3. Trituramos bien.
4. Añadimos un poco de sal para suavizar y lograr una textura algo más líquida.

*La bechamel tiene que quedar espesa, sólo será preciso añadir un poco más de leche en caso necesario para poder triturar bien.

BECHAMEL DE COLIFLOR

Ingredientes:

- 1 cebolla grande
- 200 g de coliflor (solo los ramilletes)
- 100 ml de leche (se puede utilizar vegetal)
- Sal al gusto
- Nuez moscada rallada al gusto
- Aceite de oliva virgen extra

Elaboración:

1. Pelamos y picamos la cebolla.
2. Añadimos un poco de aceite de oliva a la sartén y dejamos pochar, por lo menos durante 10-15 minutos a fuego bajo.
3. Troceamos y lavamos la coliflor.
4. Y cocinamos al vapor o en el microondas durante 10 minutos.
5. Una vez lista la cebolla, añadimos la coliflor cocinada.
6. Incorporamos la leche, la nuez moscada y sal al gusto.
7. Cocinamos otros 10 minutos y trituramos.